LOS CHISTES FAVORITOS DE LOS NIÑOS (3)

Editorial y Distribuidora Leo,
S. A. de C. V.

Idea original y temas de contenido: Lic. Lucía Escalante Greco. Colaboración pagada y remunerada: Angye Douglas K. - M.S.A.I.

ISBN: 968 - 6801 - 61 - 8

Tercera edición: Marzo de 1998

Impreso en México
Printed in Mexico

Angye Douglas K.

LOS CHISTES
FAVORITOS DE
LOS NIÑOS (3)

Editorial y Distribuidora
Leo S.A. de C.V.

INTRODUCCIÓN

Por tercera ocasión. Editorial Leo se complace en ofrecerles un nuevo libro de chistes para niños, con nuevas ocurrencias que harán reír también a sus papás. La gran estrella de los cuentos: Pepito, hace de las suyas, produciéndole a su mamá no pocos dolores de cabeza. Sus profesores tampoco lo soportan, pero gracias a su ingenio, podemos pasar momentos muy gratos.

Los gallegos también ocupan un lugar importante en esta obra. ¡Por más tonterías que cometen, no logran aprender nada, pero qué divertidos son!

Otros personaje sobresaliente es Alcaponcito, hijo de un peligroso jefe de la mafia que matará de risa a nuestros apreciables lectores.

Por supuesto, no pueden faltar los chistes de novios, esposos, padres, hijos y borrachitos. En fin, ¿para qué decir más? Póngase muy cómodos y gocen con las ocurrencias de los protagonistas de estos cuentos para niños.

DE CANÍBALES

Una pareja de caníbales terminaba de comerse un payaso, después de sembrar el terror en un circo. Papá caníbal pregunta:

-¿Qué te pareció el banquete?

Mamá caníbal contesta:

-No sé. . . me supo muy chistoso.

ප ප

UNA LECCIÓN DE CHINO

¿Cómo se dice "suela gruesa" en chino?

TA-KON.

¿Y licor?

TE-KILA.

ප ප

DE "CODOS"

Un regiomontano tiene que enviar un telegrama a sus parientes, pero como es de todos sabido que a los nacidos en Monterrey no les agrada gastar de más, eligió el más económico, de diez palabras, y lo envió así:

"El tío Pedro murió ayer sin dolor... ocho, nueve y diez".

ORACIÓN ESCUCHADA

Un sacerdote se encuentra perdido en la selva y a punto de ser devorado por un león. Desesperado, implora:

-Señor, te lo ruego. Dale sentimientos cristianos a esta fiera.

Del cielo se escucha la voz de Dios: "Concedido".

Entonces, el padre se da cuenta de que el león está de rodillas, rezando:

-Te doy gracias, Señor, por este alimento que me mandas.

UN PATRIOTA

Un soldado llega herido a su país, después de haber ganado la guerra y dice a su esposa, quien ha ido a recibirlo a la estación del tren:

-Amo a mi patria; por eso he luchado por ella y hubiese estado dispuesto a morir por ella, pero que me parta un rayo si me vuelvo a enamorar de otra patria.

¡¡!!

GUEVARA

DE ENTRENADORES DE FUTBOL

Era un entrenador de futbol tan tonto, tan tonto, que cuando el médico le dijo que su salud dependía de sus defensas, incluyó algunos jugadores nuevos en su equipo.

ၔ ၔ

SOBREPESO

Era una mujer tan gorda, tan gorda que cuando tenía que viajar en avión, éste se iba por la carretera.

ၔ ၔ

TACAÑO

Era un regiomontano, tan tacaño que se reía de sus propios chistes, con tal de no gastar palabras contándoselos a los demás.

ၔ ၔ

PEPITO

-A ver, Pepito, si meto mi anillo de oro, de catorce kilates en este vaso lleno de ácido cítrico, ¿se disuelve?

-No, profesora.

-Muy bien, Pepito, ¿y cómo sabes eso?

-Porque si se disolviera, de tonta lo metía ahí.

ક ક

HABLANDO DE FUTBOL AMERICANO

¿No creen que en lugar de "tazón de las rosas", sería mejor que hubiese un "tazón de la pimienta" para darle más sabor al juego?

ક ક

DE GALLEGOS

Un gallego llega a su casa, con el cuerpo cubierto de moretones; su esposa le pregunta:

-¡Dios mío, Venancio! ¿Qué ha pasado contigo?

-Pues nada, Pilarica, que venía para acá pedaleando a toda velocidad mi bicicleta, cuando al pasar por una calle solitaria, se me acercaron dos tipos que me ordenaron: "cáete con la bici", y para no hacerlos enojar. . .

ક ક

¿A QUE NI SABES?

-¿Qué crees, Pepito? Acabo de enterarme en tu escuela que el niño más grosero y atrasado de tu clase, se fugó con la hijita del señor Rodríguez, ¿qué te parece? ¿Pepito? ¿Pepito?

CARTA A LOS REYES MAGOS

"Queridos Reyes Magos"

"Este año quiero pedirles un juguete que mi papá no pueda quitarme."

ß ß

FOMENTANDO EL VICIO

El propietario de una conocida marca de cigarrillos fue a visitar al Papa, al Vaticano, para ofrecerle la cantidad de dólares que deseára, para cambiar la parte del Padrenuestro que dice: "DANOS HOY EL PAN NUESTRO DE CADA DÍA", por: "DANOS HOY EL CIGARRILLO NUESTRO DE CADA DÍA". como es de suponer, el Sumo Pontífice le pidió al descarado que se marchara. Este, salió refunfuñando y durante el camino de regreso a su país, le comentó a su socio:

-¡Condenados panaderos! ¿Cuánto crees que le habrán ofrecido a cambio de publicidad?

ß ß

LA ADIVINADORA

Un desesperado acude a visitar a Madame Sabelotodo, famosa cartomanciana, a fin de conocer su futuro:

-Disculpe, Madame, ¿cuánto cobra por adivinar el futuro?

-Cien pesos- responde ella, pero sólo tiene derecho de hacer dos preguntas.

-Está bien. Aquí tiene el dinero, pero, ¿pero no le parece que es demasiado cien pesos por dos preguntas?

-Por supuesto. ¿Cuál es la segunda pregunta?

ଧ ଧ

SUCEDIÓ EN UNA CANTINA DE MONTERREY

Una mosca cayo en el tarro de la cerveza de un regiomontano, quien, en el colmo de la indignación, sacó a la intrusa, sujetándola con los dedos índice y pulgar, a la vez que decía:

-¡Mugroso bicho! ¡Ve a emborracharte a costa de otro menso!

ଧ ଧ

OTRO DE PEPITO

Era tan mala la conducta de pepito y sus calificaciones tan bajas en todas las materias, que su profesora quiso llamarlo a la reflexión:

-Ten en cuenta, Pepito, que no siempre vas a ser un niño, dependiente de tus padres. Vas a culplir trece años y todavía estas en cuarto de primaria. ¿A qué piensas dedicarte cuando seas mayor?

Muy seguro de sí mismo, Pepito respondió:

—Seré orientador vocacional. Tal vez yo no sepa hacer nada, pero me van a pagar para que les diga a otros lo que pueden hacer.

—¿Y crees tener facultades para eso?

—Claro. Por ejemplo, al que sea bueno para las matemáticas, le recomendaría estudiar para ingeniero o arquitecto; al que le guste la biología, le recomendaría ser médico o veterinario; al que le guste observar la conducta de las personas, le aconsejaría que fuese psicólogo.

—¿Y qué le aconsejarías estudiar a un jovencito torpe, distraido y terco?

—¡Sería un perfecto árbitro de futbol!

ଛ ଛ

MÁS TAZONES

¡No creen que en lugar de "Tazón de azúcar" debería haber "Tazón de Canderel" para que pudieran disfrutarlo también los diabéticos?

ଛ ଛ

EL CONDENADO A MUERTE

Un hombre estaba a punto de ser ejecutado. Antes de eso, el general hace la pregunta obligada:

-¿Cuál es su última voluntad antes de morir?

-¡Estudiar chino por correspondencia, mi general!

℞   ℞

BREBAJES DE AMOR

-¿Qué puedo hacer para que el chico que me gusta corresponda a mi cariño?- pregunta la joven a la adivinadora.

-Mezcle unas gotas de este jarabe de amor con medio vaso de tequila y tenga por seguro que ese muchacho caerá a sus pies.

℞   ℞

INTERESADA

Al ser interrogada Olivia, la exnovia de Pepito, acerca de la razón por la cual dejó de querer al buen jovencito, contesta:

-Terminamos por falta de comunicación. Nunca me comunicó que no tenía dinero.

℞   ℞

ALFOMBRAS MÁGICAS

En un mercado Persa, el vendedor pregunta a un comprador que acaba de adquirir un alfombra mágica:

-¿Se la envuelvo o se la lleva volando?

ಜ   ಜ

MASCOTAS TALENTOSAS

Javier no tiene un centavo para tomarse una copa en la cantina. El encargado está cansado de fiarle y que nunca le pague, así que un día, Javier llegó con un par de animalitos, un hamster, un ratón y un pequeño piano de juguete:

-Si me dejas tomar unas copas, te mostraré el talento de estos animalitos- dijo al cantinero.

-¿Ah, sí? ¿Y qué saben hacer esos bichos?- preguntó este con incredulidad.

-El hamster toca el piano y el ratoncito canta.

-¡Eso quiero verlo!

Dicho y hecho, Javier colocó el pianito sobre la barra y puso al ratón frente al instrumento. Para sorpresa de todos los presentes, uno tocaba mientras el otro cantaba.

-¡Ni hablar! Has ganado- dijo el cantinero-. Aquí está tu copa.

En eso se escucha una voz, proveniente del fondo de la cantina:

-¡Trampa! ¡Trampa! ¡El ratón no sabe cantar! ¡El hamster es ventrílocuo!

ಜ ಜ

ASALTO BANCARIO

Dos ladrones entran a un banco, decididos a asaltarlo, pero como son novatos y aparte tienen buenos sentimientos, no desean herir a nadie. Uno de ellos se fija en una cajera fea, flaca, chimuela y cacariza y dice entusiasmado a su compañero:

-¡Tengo una idea! Tú le pides una cita a esa cajera y cuando está se desmaye por la emoción, yo tomo el dinero de la caja!

ಜ ಜ

LA SIRVIENTA TONTA

Suena el timbre de la puerta y Chencha acude a abrir.

-¿Está el señor de la casa?- pregunta el visitante.

-No- contesta Chencha.

-¿Puedo esperarlo adentro?

-Sí.

Pasan dos horas, tres horas, cuatro horas y el señor de la casa no aparece. El visitante vuelve a preguntar a Chencha.

-¿Donde está el señor de la casa?

-Fue a Mérida, pero como usted dijo que si podía esperarlo. . .

ප ප

DEUDORES

Un crucero está a punto de hundirse. El capitán del barco, anuncia:

-¡Sálvense primero quienes obtubieron el paquete "Viaje ahora y pague después"! ¡Luego las mujeres y los niños!

ප ප

UNA DE COLMOS

¡Sabes cual es el colmo de Michael Jordan? Asistir a una reunión de etiqueta y no comportarse a la altura.

ප ප

MILLONARIO INSOMNE

Una mujer llega a hospedarse en un lujoso hotel de la ciudad de México y sorprendida observa en la recepción del hotel un rebaño de ovejas. Extrañada, pregunta al administrador:

-¿Qué significa este rebaño dentro del hotel?

El interrogado, responde:

-Es para un millonario que se hospeda en la suite presidencial. Tiene problemas para dormir.

APANTALLADO

El presidente de un país muy pobre, reúne a su pueblo y les habla así:

-¡El país vecino quiere atacarnos! Pero como no tenemos armas con las cuales enfrentarnos a ellos, he pensado en algo: a la cuenta de tres, todos digan "¡Pum!", bien fuerte, de este modo pensarán que tenemos bombas atómicas.

EN EL HOSPITAL

Un sujeto llega al servicio de Urgencias de un hospital, con una herida tan grande que el médico se ve obligado a suturar.

El paciente comienza a describir todos los movimientos del doctor:

-Toma de la charola la sutura. . . ha dado una puntada. . . dos puntadas. . . ¡Sí señor! ¡Con gran maestría ejecuta la tercera!. . . ¡Corta el hilo!. . . Gran momento de emoción cuándo coloca una gasa sobre la herida. . .

Un poco molesto, el médico pregunta:

-¿Por qué hace esto?

-Lo siento, es que soy narrador de partidos de futbol.

ʚ   ʚ

EN LA CANTINA

Entra un borrachito a una cantina y pregunta:

-Disssculpen ustedes, hic, ¿no han visto a Demetrio?

Uno de los presentes, contesta:

-Sí, lo vi hace media hora.

-¡Hip! ¿Y de casualidad, no venía acompañandome?

ঽ   ঽ

URGENCIA

El regiomontano llama a la puerta del médico del pueblo "El Gran Codo", a las dos de la madrugada:

-¡Doctor! ¡Doctor! ¡Necesito que me acompañe al pueblo vecino! ¿Tengo una urgencia!

Somnoliento, el médico responde:

-¡Pero son las dos de la madrugada y está lloviendo!

¿No puede esperar a mañana?
-No.

-Pero le advierto que tendrá que pagarme cien pesos por esta visita.

-¡De acuerdo!

Así es como ambos se encaminan al pueblo vecino; al llegar, el médico dice:

-Ya llegamos, ¡cuál es la urgencia?

-Aquí tiene sus cien pesos- contesta el regiomontano-. Tenía urgencia de llegar a este pueblo, pero el taxi me cobra el doble. ¡Gracias!

ଝ ଝ

UN GALLEGO EN LA CAFETERÍA

Un gallego entra a una cafetería y pide que le sirvan un café.

-Páseme por favor el azúcar, la sal, salsa catsup, mayonesa y pimienta.

El mesero, un poco sorprendido le da al gallego todo lo que ha pedido. El gallego pone una cucharada de todo esto en su café, lo prueba y exclama:

-¡Guácala! ¡Sabe horrible! ¡No tomaré un café tan malo!

-Es culpa suya- dice el mesero. El sabor que tiene es por todo lo que le agregó.

-¿De verás? páseme la mostaza.

ଝ ଝ

OTRO BORRACHO

Un borrachito, bastante pasado de copas, comienza a gritar:

-¡Tengan cuidado conmigo!

Los otros asistentes, lo miran enfadados, sin hacerle demasia-do caso. El borracho vuelve a decir:

-¡Tengan cuidado conmigo!

Ya cansados de ser molestados, cinco sujetos le caen al borracho y lo muelen a golpes. El maltrecho borrachito, reclama:

-Les dije que tuvieran cuidado conmigo. ¡Bola de desconciderados!

ც ც

EL LISTO DE PEPITO

El grupo de Pepito está en clase de matemáticas, pero el niño, incumplido como siempre, ha dejado en casa el libro de matemáticas. La profesora, le pregunta enojada:

-¿Por qué no trajiste tu libro de matemáticas?

-Lo siento, señorita. Es que hoy le tocaba ir al psiquiatra.

-¡No inventes niño tonto! ¡Por qué tiene que ir al psiquiatra?

-Porque tiene muchos problemas.

ც ც

LOS HERMANOS LELOS

Los hermanos Lelos iban caminando detrás de un raro sujeto, de cabellera larga y extraña vestimenta. Uno de ellos, comenta:

-Oye, ¿qué será eso que va delante de nosotros? ¡Será hombre o mujer?

-No sé, pero es fácil descubrirlo. Lo seguiremos. Si se detiene en el aparador de una tienda de ropa femenina, es mujer. Si se detiene a mirar el aparador de una tienda de ropa masculina, es hombre.

Así fue como los hermanos Lelos, continuaron caminando detrás de aquella persona, quien, en un determinado momento, se detuvo junto a un árbol.

-Nos equivocamos los dos, hermano Lelo. ¡Ni hombre ni mujer! ¡Resultó ser un perro!

☙   ☙

EL CINE

La esposa de un regiomontano, se quejaba amargamente ante su marido.

-¡Nunca me sacas a pasear! ¡Te he dado los mejores años de mi vida y no me llevas a ninguna parte!

-Eso no es verdad- protesta el hombre-. ¿Ya no te acuerdas la última vez que te llevé al cine?

-¡Vaya que me acuerdo, querido! Pero te tengo una noticia: ya inventaron el cine sonoro.

☙   ☙

MALA SUERTE

Era un tipo con tan mala suerte, que el día en que le salieron las muelas del juicio lo declararon culpable y lo metieron a la cárcel.

☙   ☙

MÁS DE GALLEGOS

Los gallegos son tan tontos, pero tan tontos, que cuando van a robar un banco por la noche, hace un agujero para entrar y otro para salir.

☙   ☙

ADIVINANZA

¿Cuál es el animal que camina con la patas puestas en al cabeza?

¡El piojo!

☙   ☙

GUEVARA

OBEDIENTE

Suena el teléfono de la oficina de un eminente empresario.

Como no está su secreteria, él contesta:

-¿Bueno?

Al otro lado de la línea se escucha la voz de una mujer, que aparentemente está llorando:

-Señor, Pérez. Habla la esposa del señor Jiménez.

-¡Vaya! ¡Vaya!- exclama con disgusto el empresario!

¿Podría decirme por qué no se presentó a trabajar su esposo el día de hoy?

-Porque obedeció sus órdenes.

¿Órdenes? ¿De qué habla?

-¿Recuerda que le dijo que este año, la empresa atravesaría por un periodo difícil, en el que no habría aumentos de sueldos y que sería preciso "apretarse el cinturón"?

-Lo recuerdo, pero…¿qué tiene que ver eso con la ausencia de Jiménez?

-Que se apretó el cinturon. . . pero alrededor del cuello-.

PROBLEMAS CON LA COMPUTADORA

La adolescente de la casa ha estrenado una computadora y está feliz porque le ahorra mucho tiempo. Sin embargo, pregunta a su mamá:

-¿Por qué me pide verificar varias veces cada dato que le doy? ¿Acaso no me cree?

La madre contesta:

-Recuerda que es una computadora, hija, no tu mamá.

ɞ ɞ

AGRADECIDO

Un sujeto presume de sus logros en una cantina:

-Pues sí, lo digo con orgullo y lo repito. Gracias a mi hija adolescente, soy millonario.

-¿Por qué?- pregunta un curioso.

-Porque antes de tenerla era billonario.

ɞ ɞ

OBEDECIENDO LAS SEÑALES

Un joven conducía su automóvil por una carretera, Llevando como piloto a su papá. De repente, en determinado tramo de la carretera, vieron a un sujeto, con una bandera roja en la mano, indicando una desviación. El chico que iba manejando, tomó el camino que se le indicaba. El papá del muchacho, muy sorprendido, pregunto:

-¿Por qué hiciste caso a las indicaciones de ese joven?

-Porque tenía una bandera roja- contestó él.

-¡Haberlo dicho antes! ¡Mañana mismo me compró una!

ɞ ɞ

LETREROS

El irresponsable Pepito volvió a reprobar matemáticas. Su madre decidió dedicarle toda una tarde, para lo cual se encerró en su habitación a repasarles las lecciones, no sin antes, desconectar el radio y la televisión. Además, colocó en la puerta de la casa el siguiente letrero:

MADRE E HIJO ESTUDIANDO. VUELVAN MÁS TARDE.

Creyendo que no sería interrumpida, la madre de Pepito se puso a estudiar con su hijo. No acababan de sentarse, cuando sonó el timbre. La madre, molesta, acudió a abrir y grande fue su sorpresa al mirar delante de sí a un niñito de cuatro años que le preguntó:

-¿Qué dice ese letrero?

෪ ෪

MESA REDONDA

En la escuela de Pepito hicieron una mesa redonda para discutir temas culturales. antes de iniciarla, la profesora advirtió a Pepito:

-Para variar, Pepito, necesito que cooperes. Te exijo dirigirte con respeto a todos tus compañeros, aunque no estés de acuerdo con su opinión. ¿De acuerdo?

Pepito aceptó y se inició la mesa redonda con el tema "LA NUTRICIÓN". Andrés, el más adelantado de la clase, comenzó así:

-Una dieta balanceada debe incluir leche y sus derivados, carne, fruta y abundantes verduras.

Tocaba el turno a Pepito, quien con toda corrección señaló:

-Lamento no estar de acuerdo con mi estúpido, cretino y baboso condiscípulo, pero las verduras son una porquería.

෪ ෪

CARTA A LOS REYES MAGOS

Esta vez, no es Pepito quien escribe a los Reyes Magos, sino su mamá:

QUERIDOS REYES:

CON BASE EN EXPERIENCIAS ANTERIORES, ME PERMITO PRONUNCIAR UNA LISTA CON OBJETOS QUE POR NINGUN MOTIVO DEBEN TRAERLE A MI HIJO:

1. NADA QUE SE ENCHUFE.

2. NADA CON FILO.

3. NINGUNA CUERDA PARA BRINCAR LA REATA, QUE PUEDA SER UTILIZADA COMO INSTRU- MENTO HOMICIDA.

4. NADA QUE DISPARE, AUNQUE SEA DE JUGUETE.

GRACIAS DE ANTEMANO.

ɮ ɮ

PEQUEÑA ACLARACIÓN

Llega a su casa la hija adolescente muy bien prendida del brazo de un muchacho. Su madre, le reclama.

-¡Eres una mentirosa, Estela! ¡Cuando saliste, esta mañana, dijiste que ibas a ver al doctor!

-Y no mentí, mamá. Sergio es doctor.

ɮ ɮ

INSOMNIO

-¡Mamaaaaaá!

-¿Qué quieres, Pepito? Son las doce de la noche. Duérmete ya.

-¡No puedo!

-Cuenta obejitas.

-Ya lo hice y no sirvió de nada.

Impaciente ya la madre, le dice:

-Ve a la cocina, pon a tibiar un poco de leche, sírvela en un vaso, tómatela, lava el vaso y la olla, limpia de la estufa la leche que se derrame y cuando vuelvas a la cama estarás tan cansado que dormirás como angelito.

ఎ ఎ

OTRO DE INSOMNIO

-¡Pepito! ¡No me dejaste dormir en toda la noche! ¡Te la pasaste hablando entre sueños!

-Como te la pasaste callándome durante todo el día. . . compenso lo que no hablo de día, por la noche.

ఎ ఎ

HERENCIA

Don Pancho acaba de morir. Sus hijos están felices porque está a punto de leerse el testamento. El notario, comienza la lectura:

Yo, Pancho Codinche, en pleno uso de mis facultades otorgo como herencia a mi hijo Rubén, mi rancho de cinco mil hectáreas.

Rubén está feliz. Los demás hijos, se miran recelosos unos a otros. ¿Qué hay de la inmensa fortuna de Pancho? El notario prosigue:

Y a mis hijos Pablo, Chucho y Jacinto, les dejo como herencia tres palas para que desentierren la fortuna que he enterrado en todo el rancho.

ೞ ೞ

PAREJITAS

Dos enamorados están sentados en la banca de un parque, cuando se acerca un indigente y le dice:

-Siento interrumpir, pero están sentados en mi cama y ya es hora de dormir, ¿podrían retirarse y volver mañana por la mañana?

ೞ ೞ

ORACIÓN

Una chica, poco agraciada físicamente, reza sus oraciones antes de dormir:

-Señor, te lo pido humildemente, hazme atractiva para los hombres. Haz que mi cabello aspero se vuelva suave, que se me quite lo cacariza y que suba un poco de peso. Amén.

En eso, se escucha una voz proviniente de las alturas:

-¿Y tu paleta de qué la quieres, hijita?

છ છ

LA TAQUERÍA

Un joven entra a una taquería y, como trae el hambre muy atrasada, se come veinte tacos, pero como no tiene dinero para pagar, le dice al taquero:

-Le apuesto el costo de los veinte tacos que me comí, a que no le atina a adivinar lo que traigo en mi morral.

-¡Sale!- contesta el taquero-, pero al menos, dame una pista.

-Viene en una botella de vidrio y es muy sabroso.

-¿Ya sé! ¡Una botella de tequila!

-¡Fallaste!- exclama, a la vez que extrae de su morral la botella- ¡Es aguardiente!

-¡Condenado tipo! Está bien, perdí. Ahora te apuesto otros veinte tacos, a que no adivinas la raza del perrito de la que están hechos los tacos que te acabas de comer.

ß ß

LLAMADA DE ATENCIÓN

La mamá de Pepito ha tenido que acudir a otro llamado de la directora de la escuela de su versátil hijo. Esta vez está castigado por jugar al astrólogo. Les cobró veinte pesos a cada uno de sus compañeros para decirles sus predicciones, entre las cuales, destacaron las siguientes:

1. En 1998, el Sol, seguirá saliendo por el oriente.

2. Todo lo que tiende a subir, continuará tendiendo a bajar.

3. El Canal de Panamá será comprado por una importante empresa de televisón.

ß ß

MILITAR

Este es un soldado gallego, que vuelve a su país, una vez terminada la guerra. Al entrar a la cocina de su casa, hace el saludo militar, delante del refrigerador:

Pero, ¿que sucede contigo, Venancio? -pregunta su mujer-. Por qué saludas militarmente al refrigerardor?

-Pero mujer, es mi superior. ¿Qué no ves que en la puerta dice, General Electric?

ߦ ߦ

UNO DE ARGENTINOS

¿Saben ustedes por qué los argentinos se cuelgan de las lámparas, antes de lavarse los dientes? Porque el tubo de crema dental, dice: **COLGATE**

ߦ ߦ

OTRA VEZ REPROBADO

¿Saben por qué volvió a reprobar Geografía Pepito? Porque en su último examen puso que el estrecho de Gibraltar estaba a dieta y el Golfo de México debería ponerse a trabajar.

ߦ ߦ

JUDÍOS

Dos judíos se acaban de morir, pero en el cielo no los quieren recibir:

-Se la pasaron estafando gente, con el pretexto de hacer colectas por esto y por lo otro- dice San pedro-. ¡Al infierno!

Unos minutos después, suena el teléfono del Cielo. San Pedro atiende la llamada:

-¿Hola? ¿Pedro? ¿Habla Satanás? ¡Cómo se te ocurrió mandarme a estos judíos?

¡Están organizando un colecta para poner aire acondicionado!

ɞ   ɞ

ADIVINANZA

Pepito y su amigo Jorge, juegan a las adivinanzas:

-¿Cuál es el animal que aúlla mejor?

-El lobo.

-No. Mi abuelito.

-¿Por qué?

-Espera y lo verás. ¡Abuelito, ¿hace cuánto naciste?

-¡Uuuuuu!

ɞ   ɞ

PETICIÓN DE MANO

Un sujeto está a punto de pedir la mano de su novia, pero como el padre de ésta es muy exigente, le pide a un amigo gallego que lo acompañe y le ayude a convencer a su futuro suegro:

-Por favor, Venancio, ayúdame. Es muy importante para mí casarme con Rosita. Todo lo que tienes que hacer es exagerar lo que yo diga.

-¿Sólo eso?

-Sí.

Ambos amigos llegan a la casa de Rosita. Los recibe su padre con expresión de desconfianza. El novio comienza a hablar:

-Puede estar seguro de que Rosita será feliz conmigo.

No lo dude.

El gallego, secunda:

-Muuuy feliz, demasiado feliz. No le quepa la menor duda.

-Tengo un buen trabajo y aparte una cuenta de ahorros con la que puedo mantener decorosamente a su hija.

El gallego, vuelve a tomar la palabra:

Un trabajo excelente, sí señor, y una cuenta bancaría millonaria.

El papá de Rosita está a punto de ceder, cuando el novio le comenta:

-El único problema que hay, es que padezco una leve enfermedad respiratoria, completamente controlable.

El gallego dice:

-¿Leve? ¡Enorme! ¡Es tuberculosis y está desahuciado!

ɞ   ɞ

HIPO

-Juan, Juan, ¿tienes hipo?

-¡Qué pregunta tan tonta! ¡Claro que no! ¿Por qué?

-Porque dicen que el hipo se cura con sustos, así que no te diré que tienes una enorme araña peluda en el hombro.

ɞ   ɞ

NUESTRO MAESTRO

Llega a la escuela donde estudia Pepito el quinto maestro en el curso de tres meses. La verdad es que ese Pepito es un pingo en toda la extensión de la palabra. El nuevo profesor llega a la dirección, se entrevista con el director del colegio, quien parece estar muy conforme con él, pero cuando habre su portafolio para mostrar al director sus documentos, éste alcanza a ver en el interior una pistola. Alarmado exclama:

-¡Pero maestro! ¡Esa arma es temible!¿Por qué la traee?

Sin preocuparse el maestro, contesta:

-Mi esposa debe haberla puesto ahí, por si la necesito.

¡Ella siempre tan previsora!

ɞ ɞ

CARIÑOSO

El niño más atrasado y travieso de la calle, llega cierto día a casa, con un ramo de flores que entrega a su madre. Después le dice:

-¿Quién es la mamita más linda del mundo?

Esta, pregunta con desconfianza:

-Y bien, Juanito, ¿qué hiciste hoy? ¿Mandaste al hospital a uno de tus compañeritos o reprobaste?

ɞ ɞ

ENTRE SEÑORAS

Doña Perfecta se encuentra en el mercado a la mamá de Pepito y ambas señoras se ponen a platicar. Doña Perfecta se la pasa presumiendo de su vida tan ordenada y sin fallas:

-Mi vida es tan perfecta que nunca he tenido que arrepentirme de nada.

La mamá de Pepito contesta:

-Es que no tiene un hijo como Pepe.

ટ ટ

OTRO DE INSOMNIO

La mamá de Pepito está cansada de todos los dolores de cabeza que le da su angelito. Cuando no reprueba, le contesta a la maestra, no hace su tarea, o se la pasa correteando por la casa, armando desorden. Exhausta, la pobre señora, acude con el doctor, para que le de algo que la haga sentirse mejor.

Este le obsequia un frasco con píldoras.

-¿Son vitaminas para mí?- pregunta ella.

-No son píldoras para dormir. Déselas a Pepito.

ટ ટ

UN CHOFER

El papá de Pepito fue a hacer un examen a una empresa de autobuses, pero tiene que aprobar un examen. El examinador pregunta:

-Si tiene que conducir su camión durante un día de neblina y ve aproximarse otro camión en sentido contrario, ¿qué haría?

-Llamar a mi hijo Pepito. ¡Le encantan los choques de camiones!

ʕ ʕ

OTRA ENTREVISTA DE TRABAJO

-Muy bien, señor González. El puesto será suyo si comienza a hablarme sobre el tema que domina.

-Yo nací el el 30 de abril de 1970. Estudié la primaria en el pueblito De San José de las Chiripas, también la secundaria.

A muy temprana edad comence a tener talento para. . .

-¡Un momento! ¿Por qué habla de usted mismo?

-Porque es el tema que mejor domino.

ʕ ʕ

ASALTO

-¿Pepito! ¡Pepito! Unos ladrones han entrado a la casa y no encuentro la pistola que dejé en la cajón del buró. ¿No la tomaste?

-Está dentro de la caja fuerte, papá- contesta muy formalito el niño- la puse ahí porque dijiste que la querías fuera de mi alcance.

๛ ๛

VACACIONES

En el mes de julio, el maestro de Pepito está de vacaciones, pero al pasar por una calle se encuentra al niño latoso. Le pregunta:

¿No estabas de vacaciones con tu tía en Cuernavaca?

-No maestro. Este año no he ido. ¿Por qué?

- Porque ayer me encontré a tu madre en el mercado ¡Y se veía tan contenta!

๛ ๛

VENDEDOR

Ding- dong

-Señor, vendo el mejor producto, el superior, nunca encontrará nada mejor que este producto. . .

-¡Ya! ¡Ya! ¡Acabe pronto! ¡Soy gente de pocas palabras!

-Entonces aprovechará muy bien lo que vendo. ¡Diccionarios!

ʔ ʔ

PRESO

El condenado a muerte pregunta a su abogado:

-Definitivamente, tengo que probar mi inocencia o me lleva-rán a la cámara de gases, ¿verdad?

-Su inocencia o su gran cuenta bancaria. Cualquiera de las dos cosas.

ʔ ʔ

CORREO

Entra un gallego a la oficina de correos y pregunta:

-Si dejo aquí esta carta. . . ¿llegará a Francia?

-Si anota la dirección correctamente en el sobre y pega en él número de estampillas necesarias, téngalo por seguro- contesta amablemente el empleado de correos.

-¿De veras? ¡Entonces no la mando! ¡Yo quería que llegará a España!

ʔ ʔ

ADIVINANZA

¿Sabes como se hacen mil panes en una noche?

¡Duros!

DEUDOR

Era un sujeto tan irresponsable para pagar las deudas que tenía, que sus acreedores le pusieron por apodo "El Crimen", porque el crimen no paga.

MAFIOSO

El hijo de uno de los jefes de la mafia más peligrosos del mundo tiene un hijo, al que llamó Alcaponcito. Siguiendo el ejemplo de su padre, cierto día el niño le vació la carga de una pistola a un tomacorrientes en su casa. Tenía que eliminarlo. Se trataba de "un contacto".

NIÑO NUEVO

Llega Pepito a su casa y anuncia a su madre:

-¡Soy un niño nuevo, mamá! ¡No volveré a reprobar, ni a jalarle las trenzas a Rosita, ni a responderle mal a la maestra!

-Me parece muy bien, Pepito. Ya era justo que te portaras bien.

La conducta de Pepito mejoró los siguientes dos días, pero al tercero volvió a ser flojo y grosero. Su madre le reclamó:

Dijiste que serías un niño bueno.

-Y es cierto, mamá, lo que sucede es que el niño nuevo es igual de holgazán y grosero que el niño de siempre.

ಚಿ   ಚಿ

FELINOFILIA

La esposa de Felipe estaba muy preocupada por el juicio de su esposo y lo mandó a ver al psiquiatra. Este pregunta:

-¿Por qué está usted aquí?

Porque mi mujer piensa que estoy mal de la cabeza. Con eso que me gustan tanto los gatos.

-Eso no tiene nada de malo, amigo. A mí también me gustan los gatos.

-¡Qué bien! ¿Cuándo reunimos a nuestros respectivos gatos para organizar el próximo concierto que tocarán en el Auditorio Nacional?

ᘛ ᘚ

BODA FRUSTRADA

Un regiomontano estaba a punto de casarse con una chica, cuando ésta le anuncia que ha dejarlo de amarlo y se casará con otro. El regiomontano reacciona con el enojo:-¡Cómo! Tú no puedes hacerme esto. ¿Cómo se llama ese tipo? ¡Dime su nombre enseguida!

Asustada, la chica pregunta:

-¿Para qué quieres saberlo? ¿Acaso piensas matarlo?

-No, pero me gustaría venderle el anillo de compromiso y el ajuar de novia.

ᘛ ᘚ

PREGUNTÓN

-Papá, ¿Albert Einstein era bueno?

-Sí, Pepito, era muy bueno.

-¿Y Adolfo Hitler?

-Era malo.

-¿Y Agustín Lara?

-Era bueno, componía unas canciones muy bonitas.

-¿Y Luis Miguel?

-No sé, niñito. ¿Cómo quieres que lo sepa si todavía no ha muerto?

ප ප

OTRO DE ALCAPONCITO

Alcaponcito fue invitado al cumpleaños de un compañerito de la escuela. Después que le cantaron "Las Mañanitas" y apagó de un soplido las velas de su pastel. Al ver esto, Alcaponcito sacó de entre sus ropas un arma y le vació la carga al niño del cumpleaños. Ante la mirada sorprendida de todos los asistentes, Alcaponcito explicó:

-¡Era un soplón!

BUENA ROPA

-¡Caray, compadre! Esa gabardina está como nueva. ¿Cómo le hace? ¿Acaso su mujer se la lava con un detergente especial?

-No, lo que sucede es que voy con mucha frecuencia a restaurantes costosos y a la hora de recoger en el guardaropa la gabardina, la cambio por una nueva.

ଧ ଧ

SIESTA

La mamá de Pepito, le comenta a su comadre:

-¡Ay, comadrita! ¡No sabe cuánto disfruto la siesta de todas las tardes!

-¡Pero cómo! Si usted nunca duerme por la tarde.

-No, pero Pepito sí.

ଧ ଧ

VARIOS DE ALCAPONCITO

El alumno más adelantado de la clase, ha recitado de memoria toda la lección del día anterior. Enojado, Alcaponcito sacó de entre sus ropas un arma y le vació la carga al niño aplicado. Después explicó:

-¡Sabia demasiado!

ಬಿ   ಬಿ

Pepito estaba jugando en el lodo. Fua así como se le salió del bolsillo una moneda de cinco pesos y se ensució. Pepito recogio la moneda, entró en el baño de la escuela, donde Alcaponcito se encontraba peinándose, y lavó su moneda bajo el chorro del agua. Alcaponcito sacó de sus ropas un arma y le vació la carga a Pepito. Luego explicó:

-¡En esta escuela nadie lava dinero más que yo!

ಬಿ   ಬಿ

Pepito sabe que su mamá lo castigaría si ve ese cinco en la boleta. Toma la goma de borrar, quita el cinco y en su lugar pone un siete. Alcaponcito se ha dado cuenta, saca de entre sus ropas una arma y mata a Pepito. Y después explica:

¿Aquí nadie más que yo, puede falsificar documentos oficia-les!

ಬಿ   ಬಿ

INFRAGANTI

Llega Pepito a la escuela con el cuerpo cubierto de moretones y heridas de toda clase. La maestra le pregunta.

-¿Qué te sucedió, Pepito?

-Es que resulta que mi amigo Juan y yo estábamos jugando a rasurar un perro, con la rasuradora eléctrica de su papá, cuando escuchamos pasos en la sala. "¡Es mi mamá!", exclamó Juan y yo me arrojé por la ventana, hacia la escalera de emergencia, pero estaba equivocado.

-¿Equivocado, en qué? ¿Acaso no se trataba de la mamá de Juanito?

-No, me equivoqué en relación con la escalera de emergencia ¡No había!

ɞ   ɞ

MESERO SERVICIAL

Un hombre llega a un restaurante, y después de darle una jugosa propina al mesero, le pregunta:

-¿Qué me recomienda comer?

El mesero está tan satisfecho con el dinero recibido, que se le despierta la honradez y contesta:

-De aquí, nada vale la pena. Le recomiendo ampliamente el restaurante de enfrente.

ɞ   ɞ

MENÚ

El caníbal está escribiendo el menú del día, acercándose amablemente al sujeto que está cocinando a fuego lento, pregunta:

-Abelardo, ¿se escribe con "B" o con "V"?

ɞ ɞ

COMPLEJO

Una chica va a visitar a un psiquiatra:

-Doctor, soy muy desgraciada. ¡Soy tan fea!

-¡Tonterías! Anda, ponte cómoda, acuéstate de cara a la
pared en el diván y sígueme contando.

ɞ ɞ

GALLEGOS

¿Por qué los gallegos usan boina?

Porque es FUNDA MENTAL.

ɞ ɞ

DISCRIMINACIÓN

Un exclusivo club de esparcimiento para gallegos se incendía. Cuando Venancio se lo comenta a su esposa Pilar, ésta contesta:

-No entiendo qué fue lo que pasó. Supe que los bomberos llegaron con tiempo suficiente para controlar el incendio.

-¡Pero, Pilarica! ¡Si serás tonta! No los dejamos pasar porque no eran miembros del club.

℞ ℞

PRÉSTAMOS

Pepe Gallego le prestó una sierra eléctrica a Venancio Gallego hace más de tres meses y no la ha devuelto. Ahora la necesita; por eso lo llama:

-Aló, Venancio, te habló por la sierra eléctrica.

-¿De veras? ¡Jozú! ¡Pues que bien se te escucha!

℞ ℞

BEISBOLISTAS

PRIMER ACTO: Se levanta el telón y se ve a un beisbolista lanzar una bola.

SEGUNDO ACTO: Se levanta el telón y se ve al mismo beisbolista lanzar la bola.

TERCER ACTO: El mismo beisbolista aparece rociándose la axilas con desodorante. ¿Cómo se llamó la obra?

DOS BOLAS Y UN SPRAY.

৬ ৬

CIEGUITO

Este era un puercoespín que nació ciego. Un día, caminaba por el desierto, cuando se tropezó con un cactus, emocionado exclama:

-¡Mamá!

৬ ৬

CUERPAZO

Dos amigos platican así:

-¿Cómo es que andan diciendo que tu nueva novia está gorda, si tú mismo me dijiste que sus medidad eran 90, 60, 90?

-¡Ah sí! ¡Son las medidas de una pierna!

৬ ৬

EXPEDICIONARIOS

Unos exploradores charlaban así:

-La última vez que fuimos a Alaska, hacía tanto frío que la llama de la vela se congeló.

-Eso no es nada. La última vez que fuimos a escalar el Popocatépetl hacía tantísimo frío, que para escuchar las palabras que se decían, primero teníamos que freírlas.

EL POPO

Iztacíhuatl, dialogando con El Popo:

-Mira como tienes a los integrantes de Protección Civil.

Tienes que moderar tu carácter.

-Trato de estar tranquilo, querida, pero a veces siento que voy a estallar.

CIRQUERO

Suena el teléfono de un empresario, que es dueño de un circo.

-¿Sí?

-Hablo para saber si no necesita un acróbata para su circo.

-Tengo muchos acróbatas.

-Soy un payaso como ninguno.

-Tengo muchos payasos.

-También sé hablar.

-¿Y eso qué tiene de especial?

-Que soy un changuito.

ɞ ɞ

EXAMEN DE MECÁNICA

La chica no sabe nada de mecánica, presenta un examen para conducir. En la pregunta que dice, ¿qué es el cigueñal? Ella responde: Es el ave de gran pico, que trae a los autos recién nacidos, desde París.

IGLESIA

Un monaguillo gallego sube al campanario de la iglesia y comienza a tocar las campanas. Una mujer que pasa por la calle, grita desde abajo:

-¿Por qué repican las campanas?

Y el niño gallego, contesta:

Porque les estoy jalando el mecate.

🙠 🙠

TERMINOLOGÍA MEDICA

-Siento decirle, señora Martínez, que usted padece una psicosis esquizofrénica de origen emocional.

-¿Eso qué significa, doctor?

-Que es usted una vieja loca.

🙠 🙠

MAL HUMOR

El elefante ha amanecido de un humor de los demonios y se encuentra en su camino un ratoncito, que le sirve maravillosamente para desquitarse:

-¿Te has dado cuenta, insignificante roedor, de lo grande que son mis patas, comparadas con las tuyas?

-Sí, señor.

-¿Y te has dado cuanta lo grandes que son mis orejas comparadas con las tuyas?

-También, señor.

-¿Y no te apena tener un cuerpecito tan pequeño, cuando el mío es tan enorme?

-Es que. . . he estado malito.

ß ß

GALLEGA DIABÉTICA

El médico informa al gallego:

-Siento decirle esto, señor, pero después de los exámenes que le hemos practicado a su esposa, llegamos a la conclusión de que es diabética.

¡Jozú! ¿Y eso qué quiere decir?

-Qué tiene azúcar en la sangre.

-¿Rediéz! ¿Y eso qué tiene de malo? Si me case con ella es por lo dulce que es.

MÁS Y MÁS DE GALLEGOS

Suena el teléfono en la tintorería de un gallego.

-¿Bueno? ¿Ya llegó Julio?

-No, apenas estamos en marzo.

ᘒ ᘒ

DADO DE ALTA

El paciente psiquiátrico se dirige agradecido a su médico:

-Gracias a usted, doctor, me he curado de mi complejo de timidez.

-¡No sabe cuánto me alegro!- contesta el médico-.

Ahora, págueme por favor, son mil pesos del tratamiento.

El recién curado se avalanza sobre el psiquiatra y sujetandolo por el cuello, grita:

-¡Pues ahora no le pago! ¡Y haga lo que quiera!

ᘒ ᘒ

LOCOS DE REMATE

Dos loquitos, internados en el manicomio, dialogan así:

-¿Por qué te trajeron a este lugar?

-Porque Tengo complejo de gato. A cada ratito lamo mis patitas y me gustan las croquetas y... ¡oye! ¿por qué me miras así?

-Por que yo tengo complejo de perro, mejor échate a correr.

 & &

EN LA CANTINA

Dos tipos están bebiendo en una cantina. Uno de ellos trae una cinta métrica y después de cada copa, dice:

-Ochenta centímetros de cintura... noventa de cadera...

-¿Y ora? ¡Por qué haces eso?- pregunta su amigo.

-Porque mi esposa me dijo: cuando tomes mídete.

& &

SIEMPRE PEPITO

Otra vez castigaron a Pepito en la escuela. Protestó cuando la maestra de catesismo le dijo que todos estábamos en este mundo para servir a los demás. Lo dejaron tres días sin recreo por contestar:

-Y los demás... ¡para qué cuernos están en este mundo?

ૈ   ૈ

EL ÁNGEL

Un hombre que ha sido muy bueno, va al cielo después de morir. San Pedro lo recibe entre bostezos:

-Pasa adelante, hijo. Busca unas alas de tu medida y póntelas.

El hombre bueno entra al cielo, pero sólo encuentra cuatro angelitos más. Todos están muy aburridos.

-¿Acaso no hay nada qué hacer en este lugar?- pregunta el hombre bueno?

-No- contestan los otros ángeles. Aquí siempre hay aburriminto.

El hombre bueno le pide permiso a San Pedro para visitar el infierno y se le concede. Llegando ahí, se da cuenta del gran fiestón que hay: una gran orquesta, cantantes, vino, botanas. Cuando se termina su tiempo de permiso, el hombre bueno, regresa al cielo y pregunta a San Pedro:

-¿Por qué en el infierno hay gran fiesta, mientras aquí estamos todos tan aburridos?

En medio de un bostezo, San Pedro responde:

-¿Crees que el señor va a gastar en fiestones para cuatro tristes gatos que habitan aquí?

ʚ ʚ

PEPE ENFERMO

Pepito está enfermo. Su madre lo lleva al médico, quien después de examinarlo, comenta:

-Esto no me gusta nada.
La mamá de Pepito se apresura a defender el caso:

-A mí tampoco me gusta, doctor, pero. . . ¿qué quiere que haga? Es mi hijo. Ni modo que lo mate.

ʚ ʚ

OTRO DE CODOS

Dos regiomontanos entran en una farmacia. Uno de ellos le dice al farmacéutico:

-Esta gasa está muy estropeada. Necesito que me la remiende.

El farmacéutico, queriendo darle una lección al regiomontano tacaño, contesta:

-Esa gasa no sólo necesita una remendada. También tiene que lavarse y plancharse y eso le costará $300.00

Resignadamente, el regiomontano se vuelve a su acompañante y le dice:-¡Ni modo, compadre! ¡Tendremos que seguir turnándonos la gasa.

ك ك

MUERTES

¿Cómo murió el fotógrafo?

¡Instantáneamente!

¿Cómo murió el director del teatro?

¡Fue una tragedia!

¿Cómo murió el abogado?

¡Se defendió hasta lo útlimo!

¡Y la señora que leía las cartas?

¡Adivina!

ك ك

EN EL FORENSE

El médico forense pregunta al esposo de la fallecida a la que le acaba de hacer la autopsia:

-¿Cómo es que en su declaración a la policía dijo usted que su esposa había muerto por arma blanca, si no tiene en su cuerpo la menor herida?

-Es que sí se trató de arma blanca. Unos ladrones entraron a la casa y le enredaron una sábana en el cuello.

℞ ℞

TAREA

La profesora de Español, dejó de tarea escribir una composición que incluyera los siguientes temas: religión, deportes, nota policiaca y misterio. Todos los niños presentaron trabajos admirables, de varias cuartillas; sólo el flojonazo de Pepito, que siempre sabe cómo esquivar las tareas desagradables, escribió cuatro escuetas líneas.

-¿Qué es esto?, ¿Crees que en cuatro líneas se pueden abarcar tantos temas?

-Claro, maestra. permítame que lo lea y se convencerá:

"¡Dios mío! (Religión), dijo Jorge Campos (Deportes).¡Me han robado la cartera! (Nota Policiaca). ¿quién habrá sido? (Misterio).

℞ ℞

TEMPRANERO

A Pepito se le ha dado permiso para llegar más tarde a casa, porque tiene fiesta en casa de uno de sus amiguitos. Curiosamente, ese día llega más temprano que de costumbre:

Pero, Pepito- dice su madre-. ¿Por qué llegas tan temprano?¿Y la fiesta?

-Es que todas mis amigos se pusieron a platicar sobre lo mag-níficos, comprensivos y tolerantes que son sus padres, y como yo no tenía nada que contar. . .

ଔ ଔ

PASATIEMPO

Es la hora del recreo y Pepito está situado en un punto estratégico del patio. desde donde puede practicar su deporte favorito: levantarles las faldas a las niñas que pasan por ahí. Su profesor lo reprende:

-Pepito. ¡Esto no me gusta!

-¡Ay, profe! ¡No sabe de lo que se pierde!

ଔ ଔ

VOZ DE ALARMA

El compadre Lencho, corre a avisarle a su vecina, quien se encuentra tendiendo la ropa, muy quitada de la pena:

-¡Chenchita! ¡Un negro entró a su departamento y está saqueándolo!

-¡Ah qué con usted, Lencho! ¿ A poco es usted racista?

&   &

ANÉMICO

Un sujeto, más flaco que una lombriz, visita al médico porque ya no puede ni mantenerse en pie. El doctor le da un frasco con vitaminas y le dice:

-Tomese una de éstas después de cada comida.

Un mes después, el tipo flaco vuelve a consultar el médico; se sigue sintiendo mal. El doctor pregunta:

-¿Se ha tomado las pastillas como le indiqué?

-Sí, usted dijo que después de cada comida. Hasta ahorita, me he tomado tres pastillitas.

-¡Cómo! ¿Por qué tan poquitas?

-Porque soy tan pobre, que en un mes no he comido más que tres veces.

&   &

CRISIS

Era un dragón desempleado. En estos tiempos ya no hay princesas qué raptar, ni caballeros armados con quien combatir. Pero como un dragón tiene que vivir, consiguió, en la esquina de Reforma e Insurgentes un empleo de tragafuego.

ಬ ಬ

OTRA DE CRISIS

Dos amigos se encuentran en la calle, uno le dice al otro:

-¡Pero que barbaridad! ¡Estás flaquísimo! ¿Tan mal te ha tratado la vida?

-Es que no tengo trabajo. Casi casi estoy como "El Almirante"

-¿Cómo es eso?

-Hoy no como. Mañana. . . problamente.

ಬ ಬ

VERDAD ABSOLUTA

La mamá de Pepito no encuentra el cuchillo de la cocina y le pregunta a su hijo:

-¿Tomaste el cuchillo de la cocina?

-No, mamá.

Pero como ella sabe que su hijo no es ningún angelito y además es muy aficionado a jugar con este tipo de instrumentos, insiste:

-¿De verdad no me mientes?

-No, mamita. Un niño nunca miente, excepto cuando habla de sus calificaciones o de lo bien que se ha portado en la escuela.

ც ც

HONESTIDAD

Un borrachín conduce su auto a toda velocidad y golpea a otro automóvil. Furioso, a pesar de ser culpable del incidente, se baja del coche, abre la cajuela y saca de ahí una llave de cruz, dispuesto a hacer sentir culpable al otro automovilista. Este se ha dado cuenta de las intenciones del borrachito y baja a hacer frente a la situación.

Resulta ser un fortachón de 1.80 metros y músculos de acero.

Al verlo, el borrachito dice, mostrándole la llave de cruz:

-¡Por esta santa cruz que yo fui el que tuvo la culpa!

ც ც

CONSULTA MEDICA

Pepito está en consulta con el médico. Aprovechando el viaje, pregunta:

-¿Qué puedo hacer, doctor? Cuando estoy dormido hablo.

¿Qué me aconseja hacer?

-No hacer nada malo, Pepito.

ɞ ɞ

PLEITO EN LA CANTINA

Dos tipos, al calor de las copas, se enredan en una discusión:

-¡Usted tiene las orejas demasido grandes para ser una persona!

-Es cierto, y usted las tiene demasiado chicas para ser un burro.

ɞ ɞ

EQUIVOCACIÓN

Un regiomontano va al hospital para que le amputen una pierna, pero en lugar de operarle la pierna enferma, le operan la pierna sana.

El abogado del regiomontano pregunta:

-¿Y por qué no protestó?

-Porque como me la operaron gratis. . .

ᘔ ᘔ

CONSUELO

La mamá de Peptito está muy afligida por la conducta de su hijo. La maestra trata de consolarla:

-No se preocupe, señora. Yo sé que está escrito que Pepito se convertira en un hombre de bien.

Seguramente. contesta, resignada la mamá-. En la útlima página.

ᘔ ᘔ

PLEITO MATRIMONIAL

-¡Felipaaaa! ¿Dónde están las tijeras?

-¡En el cajón del buró! ¡Qué lata! ¿Cómo le hacías para encontrar las cosas antes de casarte conmigo?

-Antes de casarme contigo, sabía dónde estaban las cosas.

ᘔ ᘔ

PAPÁ GALLEGO

La hija de un gallego, llega llorando a su casa:

-¡Buuuu! El bruto de mi marido me pegó.

-¡Rediéz! ¿Cómo puede ser eso?

-Es muy malo, ¡espera, papá! ¿Por qué me pegas?

-¡Porque el muy bruto golpeó a mi hija y para que se le quite, le devuelvo la agresión golpeando a su mujer!

༄ ༄

ATROPELLADO

El paramédico le pregunta al herido que yace en la banqueta:

-¿Anotó la placa del coche que lo atropelló?

-Era. . . era. . . la de mi propio auto.

-¿Cómo! ¿Se lo robaron?

Una tercera persona interviene:

-¡Vamos a casa, querido, no hay qué exagerar. No pasó nada!

༄ ༄

BANQUETE

El mesero de un lujoso restaurante, se dirige a uno de los comensales:

-¿Y bien, señor?¿Qué le ha parecido la comida?

-Mire, si el vino hubiese sido tan viejo como el filete y el filete tan joven como el vino, todo hubiera estado perfecto.

ଧ ଧ

PLEITO ENTRE REGIOMONTANOS

Un regiomontano se pelea con otro y queda chimuelo. Después se encuentra con un amigo, quien le pregunta:

-¡Te peleaste con Sergio! ¿perdiste un diente?

-¡Eso jamás! ¡Lo tengo guardadito en mi bolsillo para que el dentista me lo pegue después!

ଧ ଧ

FLOJO

En el consultorio médico:

-A ver amigo, diga tres veces treinta y tres.

-Noventa y nueve.

ʕ ʕ

AMIGOS

¿Sabes en qué se parece un amigo a un encendedor?

En que siempre fallan cuando más se les necesita.

ʕ ʕ

BAÑOS DE MAR

-Doctor, mi esposa está muy enferma de los nervios, ¿qué puedo hacer?

-Llévela a la playa y métala al mar. Se liberará para siempre del problema.

-Lo dudo, doctor. Mi esposa sabe nadar.

ʕ ʕ

DECLARACIÓN

Una mujer rinde su declaración a la policía:

-Ese hombre me exigió mi bolso y como me negué a dárselo me dio una bofetada.

-¿Y qué le dijo después?

-Nada, no tuvo tiempo. Se lo llevaron en la ambulancia antes de que recuperara el sentido.

ह ह

EL HERMANO DE PEPITO

-¡Mi nuevo hermanito es un sol!

-¿Está muy bonito?

-No, está gordo y coloradito.

ह ह

CRÉDITO

-Andan diciendo que no te bañas, que comes muy suciamente, que eres un cerdo ¿Es cierto eso?

-¿Oinc?

ह ह

VEJEZ

Era una señora tan vieja, que cuando era niña caminaba a brinquitos porque la tierra aún estaba caliente.

GUEVARA

HIPOCONDRIA

La señora que no tiene en qué ocuparse, más que en su "quebrantada salud" y que además le encanta hacerse sus propios diágnosticos, va a ver al médico:

-¡Doctor, doctor! ¡Me han salido dos manchitas rojas! ¿No será principio de lepra?

-¿Qué manchitas?

-¡Ahí! ¡En la mano! ¿Ya las vio?

-Sí, señora. ¡Qué bueno que vino hoy!

-¿Por qué? ¿Se trata de algo grave?

-No. Si hubiera venido mañana, yo no hubiera podido verlas.
Son dos piquetes de mosquito.

ß ß

LLEGANDO TARDE

Pepito llegó tarde a la escuela. La maestra le preguta la razón:

-¡Es que me picó una araña!

-¡Qué barbaridad! ¿Y no te pusiste algo?

No. Así, sin sazonar, le gusté a la araña.

ও ও

ESTUDIANTE DISTRAÍDO

El profesor de literatura pide al más lento de sus alumnos:

-Por favor lea el fragmento en la página seis de su libro de español.

El chico obedece. Dos minutos después, el maestro dice:

-Muy bien. Ahora haga el favor de comentar el fragmento leído-

-Lo siento mucho, profe, pero no puedo. No estaba escuchando lo que leía.

ও ও

SORPRENDIDO

La policía atrapa a un ladrón que descaradamente guarda en sus bolsillos mercancia del supermercado.

¡Alto ahí!

El ladrón se vuelve al policía y reclama:

-¡No ande dando esos sustos! ¡El médico me ha dicho que estoy enfermo del corazón y no puedo recibir impresiones fuertes!

❧ ❧

OTRA CONSULTA CON EL DOCTOR

La mamá de Pepito llama por teléfono al médico:

-¿Podría venir a ver a mi hijo? ¡Está muy mal!

-Tranquilícese, recuerde que no es la primera vez que finge tener fiebre para no asistir a la escuela.

-¿En domingo?

❧ ❧

ELEGANCIA

En un restaurante de lujo, un comensal lucha para tratar de comer un trozo de filete. Su acompañante, conocedor de piezas antiguas, le comenta con la vista fija en los cubiertos:

-Esos cubiertos parecen ser del siglo XIX.

-¡El filete también!- contesta el sufrido comensal.

❧ ❧

SECUESTRO

Han secuestrado a Pepito. El delincuente escribe un ultimátum y lo envía a la madre del niño:

"Le advierto que si en veinticuatro horas no paga cien mil pesos, le devolveremos a su hijo."

ɬ ɬ

COQUETA

Un tipo va a la gasolinería a cargar su auto de combustible; una dama lo observa insistentemente desde lejos. Al darse cuenta de eso, el hombre pregunta:

-¿Acaso nos conocemos, señorita?

-Es que se parece usted a mi cuarto marido.

-¿Ha estado casada cuatro veces?

-No. Tres.

ɬ ɬ

LECCIÓN

Se aproxima la Navidad y la mamá aconseja a su hijo:-Debes ser moderado en lo que pides a Santa Claus, recuerda que el ha trabajado todo el año, fabricando juguetes.

-A mi no me parece que trabaje tanto- protesta el niño-. Se la pasa sentandote en el centro comercial.

ʕ ʕ

MAMÁ PRIMERIZA

Una mujer tuvo a su primer bebé y a partir de ese día, no pudo dormir una noche completa. Una noche, harta de tanto lloriqueo, llamó a su madre, a las tres de la madrugada:

-Mamá, ¿a caso cuando una tiene hijos no puede volver a dormir una noche completa?

-Tú lo has dicho, hija- contestó la madre somnolienta.

ʕ ʕ

TAXISTA LOCO

Un hombre toma un taxi. El conductor maneja como loco, pasándose todas las luces rojas que encuentra.

-¡Oiga! ¿Qué le pasa?- pregunta el pasajero.

-¡Me encanta pasarme los altos! ¡Todos mis amigos taxistas son así!

De esta manera continúan viajando, hasta que el taxista se detiene ante una luz verde.

-¿Y ahora? ¡Por qué se detiene? ¿tenemos el paso libre!

-Por las dudas. No sea que alguno de mis amigos taxistas ande por aquí.

ɞ   ɞ

COMUNICATIVO

Un médico operó a un hombre. El doctor era silencioso, se movía rápido, Pasaba apresuradamente a ver a su paciente y se retiraba, hasta que un día, el médico se quedó conversando con el enfermo.

Terminada la plática, éste le pregunto:

-¿Por qué ahora sí se ha quedado a platicar conmigo, cuando siempre anda tan apresurado?

-Es que ahora no tengo que atender a ningún otro paciente.

Todos han muerto.

ɞ   ɞ

APROVECHADO

Pepito llora desconsoladamente en el salón de clases:

-¡Buuuu!

-¿Qué pasa, Pepito?- pregunta la maestra.

-Es que papá ganó en un sorteo un viaje para dos personas.

¿Y eso que tiene de malo?

-Que se fue de viaje solo, por segunda vez, para no llevarme.

    ಜ ಜ

A LA ANTIGUA

Dos amigos platican:

-Yo me gano el dinero a la antigua.

-¿Por qué? ¿Acaso fabricas artesanías a mano?

-No. Mi salario es el mismo de hace quince años.

    ಜ ಜ

UNO DE LOQUITOS

Dos loquitos están tomando el sol en el jardín del manicomio. Frente a ellos se encuentra sentado un dálmata.

-Oye, ¿qué hora es?- pregunta uno.

El otro loquito separa un poco las orejas del dálmata y contesta:

-Las tres en punto.

-¿Y cómo puedes saber eso tocando las orejas del dálmata?-

Si las paras, puedes mirar el reloj de ahí en frente.

ꝶ   ꝶ

GORDITOS

Una adolescente se encuentra en terrible problema del sobrepeso.

Buscando consuelo, pregunta su padre:

-Sé que estoy un poco gordita, pero. . . ¿acaso no me veo más resplandeciente?

-Cierto, hija. Pareces un foco.

ꝶ   ꝶ

MUDO

Los padres de Jorgito estaban muy aflijidos, porque el niño tenía ya tres años y no pronunciaba ninguna palabra. Consultaron a varios médicos, pero ninguno encontró nada anormal. Un buen día, mientras la madre cocinaba, se empezó a sentir un fuerte olor a quemado.

-¡La carne se quema!- exclamó el niño.

Gran jubilo en la familia. Jorgito había hablado.

-¿Por qué no habías hablado antes?- preguntó su mamá.

-Porque hasta ahorita no había tenido motivo de queja.

ᘖ ᘖ

PEPITO Y ROSITA

-Oye, Pepito, ¿cómo sé si mi mascota es perrito o perrita?

-Muy fácilmente- contesta Pepito-. Cuéntale un chiste. Si se pone contento es perro y si se pone contenta es perra.

ᘖ ᘖ

FALTA DE PREVENCIÓN

La nueva adquisición de aquel zoológico era un lindo cangurito saltarín. Sin embargo, el muro del zoológico era muy bajo. Sólo de tres metros, por lo que el canguro escapó. Lo levantaron a seis metros y el canguro volvió a escapar. Ocho metros y lo mismo. Cuando ya iban por los 25 metros, el oso panda preguntó al canguro:

-¿Cómo le haces? Cada vez es más alto el muro y puedes salir de aquí, como si nada.

-Mientras no cierren la puerta. . .

VÍBORAS

Dos antiguas enemigas se encuentran en la calle.

-¡Hola, Doris! ¡Tan guapa como siempre!

-¡Hola, Celia! Ojalá pudiera decir lo mismo de ti.

-Podrías, querida. Si supieras mentir tan bien como yo.

෪ ෪

DESPEDIDA

La mejor amiga de la mamá de Pepito, está a punto de retirarse después de una visita:

-Pepito, despídete con un besito de mi amiga Aída- le dice su madre.

-¡Ni de chiste!- contesta el niño- La otra vez quiso hacer lo mismo mi papá y ella le atinó chico cachetadón.

෪ ෪

GOLPAZO

Pepito se ha caído de bruces, corriendo en el patio de la escuela, lastimándose una rodilla. No puede evitar el llanto. Su maestra, que pasa por ahí, lo consuela diciéndole:

-No llores, Pepito. mañana ya no te dolerá.

-Gracias, maestra. Entonces mañana ya no lloraré.

ও   ও

¿PARA QUE BAÑARSE?

Un famoso jugador de futbol se dispone a salir de los vestidores, decidido a enfrentar al equipo contrario.

-¡Espera, Hugo!- dice el entrenador- ¿No vas a tomar un ba-ño antes de salir a la cancha?

-No. Pienso jugar sucio.

ও   ও

DIFERENCIA

Un regiomontano saca a su novia a pasear. Al salir de casa de ella, él pregunta:

-Mi reina, ¿sabes cuál es la diferencia entre un microbús y un taxi?

-No, mi vida.

-Perfecto. Vámonos en microbús.

ও   ও

RELIGIOSO

-¡Mamá! ¿Qué crees? Mi nuevo profesor es bien religioso.

-¿Cómo sabes eso, Pepito?

-Es que cada vez que contesto una de sus preguntas, levanta los brazos al cielo y exclama ¡Dios mío!

ɞ ɞ

CANES GALLEGOS

Un gallego se acerca a un perrito para acariciarlo. El can gruñe y el dueño del perro, advierte:

-Tenga cuidado con él. Lo puede morder.

-¿Y por qué ha de morderme, si no le he hecho nada?

-Porque no lo conoce.

-¡Acabáramos! Entonces, dígale que me llamo Venancio y yo soy el gallego más inofensivo del mundo.

ɞ ɞ

SESUDA REFLEXIÓN

-Oye, Venancio, ¡cómo es que todavía no te casas?

-Porque aún no me queda muy claro lo que significa el matrimonio.

-¿De verdad?

-Sí. Consulté varios diccionarios; uno decía que el matrimonio era una institución, que se ectablece con base en el amor. Después, me remití a la palabra amor y decía un montón de cosas, de las cuales sólo sentí que el amor es ciego. Después de todas esas consultas, llegué a la conclusión de que el matrimonio es una institución para ciegos.

ଷ ଷ

LECCIÓN DE TECNOLOGÍA

El profesor de ciencias, da la lección del día:

-Y no cabe duda que la energía atómica, ha cambiado muchísimo la manera de vivir.

Una voz se escucha en el fondo del aula:

-. . .Y de morir.

ଷ ଷ

JUEGOS DE NIÑOS

Pepito y Rosita juegan al matrimonio:

-Voy a servir el desayuno, Pepito. Cuando estamos comiendo, yo te enseñaré a mi muñequita y te diré: "Mira, qué bonita es nuestra hijita".

-¡Sale! Y yo te contestaré: "Déjame en paz, mujer, que estoy leyendo el periódico".

ಬ ಬ

LECCIÓN DE HUMILDAD

En la clase de catecismo, la instructora pregunta a Pepito:

-¿Serías capaz de perdonar a un enemigo, aunque te golpeara y humillara públicamente?

-Sí, señorita. Si es más grande que yo, claro que lo perdonaría.

ಬ ಬ

ARRUGAS

Una mujer se defiende del comentario venenoso de una falsa amiga:

-Estás equivocada, Mary, las mías no son arrugas, sino sonrisas de la piel.

ಬ ಬ

RAZONAMIENTO GALLEGO

Un gallego, le telefonea a su amigo:

-¡Hola, Venancio! ¡Necesito tu ayuda! Fíjate que acabo de recibir la carta de una amiga mía, pidiéndome prestados mil pesos, pero no quiero prestárselos porque nunca paga. ¿Qué hago?

-Si serás tonto, Francisco- Escríbele otra carta, donde le digas quo no has recibido la que ella te mandó.

ɞ ɞ

DESORIENTADO

Un sujeto, que acaba de llegar de provincia y anda perdido por la ciudad, le pregunta a un citadino:

-Disculpe, ¿sabe usted dónde queda el Palacio de las Bellas Artes?

-Eso cualquier tarugo lo sabe.

-Por eso le pregunto a usted.

ɞ ɞ

EL CIEGUITO

Un ciego pedía limosna, afuera de una iglesia:

-Una caridad para este hombre, cargado de hijos.

Una buena mujer se acerca y al tiempo que le da una moneda, pregunta:

-¿Cuánto hijos tiene usted?

-No sé exactamente, acuérdese que no veo.

☙   ☙

LA VERDAD, ANTE TODO

El papá de Pepito, lo reprende así:

-¿Cómo es que quieres casarte con tu abuelita? ¡Pero si es mi madre!

-¿Y qué? Tú te casaste con mi mamá, ¿o no?

☙   ☙

CONSIDERACION

Dos hermanitos se pelean:

-¡Oye, Juana! ¡No le jales la cola al perrito!

La mamá, interviene satisfecha:

-Muy bien dicho, Estela.

-¿Verdad que sí? ¡ Dile que a mí me toca jalárse la primero!

ৡ ৡ

AIRES

La pobre mujer, acude al médico, cansada de soportar sus malestares:

-Creo que voy a morirme, doctor, Siento una especie de airecito, que a veces se sube y a veces se baja, pero no puedo librarme de él.

-No se preocupe, señora. Es un "airecito extraviado".

-¿Cómo es eso?

-Verá, parece ser que le entró un aire, pero está usted tan fea que lo asustó y ya no encuetra por dónde salirse, pero no se preocupe, tarde o temprano hallará el camino.

ৡ ৡ

VENTAJOSO

Pepito fue a la tienda a comprar dos refrescos, uno para él y otro para su amiga Rosita, quien lo esperaba en el parque, sedienta. Ya se estaba soboreando el refresco, cuando vio venir a Pepito con una sola botella.

-¿Dónde está mi refresco?- protesta, enojada.

-Cuando venía para acá, tropecé y se me cayó al suelo, precisamente TU refresco.

ß ß

PREGUNTA CAPCIOSA

Queriendo dar una lección a sus distraídos alumnos, el maestro pregunta:

-Si cuatro perros caminan en fila. ¿Cuál de ellos podría decir:

"Veo adelante a un perro".

-¡El tercero!- contesta el chico que se cree más listo.

-Mentira. No diría nada, porque lo perros no hablan.

ß ß

PELEA

Dos amigas se encuentran en la calle. Una le dice a la otra:

-¿Qué te perece? Tan bien que parecía ir mi noviazgo con el doctor Pérez y ya vez cómo terminó. No es lo que yo creía.

-Menos mal que te diste cuenta a tiempo- comentó la otra chica.

-Pues sí, pero ahora que ya no somos novios, pretende cobrarme todas las consultas que me hizo cuando lo éramos.

ะ ะ

NO HAY PELIGRO

Dos amigos se encuentran en la calle, uno de ellos va acompañado por una mujer feísima. El amigo que va solo, le murmura al oído al otro:

-¿Y esa mujer tan fea?

-Es mi novia-

-Pero... ¿cómo es posible que te hayas fijado en ella? ¡Está bizca!, cojea, tiene la cara llena de pecas y su cabello es tan áspero como las cerdas de una escoba.

-Y además es sorda, así que no es necesario que hables tan bajito.

ะ ะ

UN DELICIOSO CAFECITO

En, un restaurante, se escucha la protesta:

-¡Mesero! ¡Mesero! ¡Esta taza de café trae balas en el
fondo!

-Es que usted pidió un café cargadito...

ৡ ৡ

DAMAS DE SOCIEDAD

Una dama de sociedad, comenta con la otra:

-No entiendo cómo es que la señora de la Barcarola y
Fineéliz es tan bien recibida en todas partes, siendo que no sabe hacer
nada.

No canta, ni se sabe ninguna poesía.

-Por eso, querida por eso.

ৡ ৡ

VERDADERAS INTENCIONES

La profesora de Pepito, lo reprende por millonésima vez:

-¿Qué será de tu vida si continúas así? Nunca sacas dieces
y has estado a punto de reprobar. ¿Te gustaría reprobar el año?

-Sí, señorita.

-¿Por qué?

-Porque mi papá me ha amenazado con sacarme de la escuela si repruebo.

ɞ ɞ

PROBLEMAS DE PESO

La mamá de Pepito, llega a reclamar a la tienda de la esquina:

-¡Es usted el más deshonesto de los comerciantes! ¡Hace unos minutos mandé a mi hijo a comprar un kilo de golosinas y cuando llegó a casa, pesé el paquete en mi bascula y resulta que sólo tría tres cuartos de kilo de dulces!

-Bien dicho, señora. Ahora pese a Pepito.

ɞ ɞ

ENTRE PELUQUEROS

Un peluquero, le pregunta a otro:

-¿Por qué los leones tendrán una melena tan larga?

El otro responde:

-Poque no hay ningún colega que se atreva a cortársela.

ɞ ɞ

INTECIONES MATRIMONIALES

Pepito acaba de cumplir cinco años y ya se quiere casar. Su mamá, le pregunta:

-¿Quien es la elegida?
-Nuestra vecina Rosita.

-¡Ah! ¿Y ya pensaron en dónde va a vivir cuando se casen?

-Aquí, en casa.

-¿Y quién le cocinará?

-Tú, desde luego.

¡Y que piensas hacer si tiene hijos?

-¡Ah, no! ¡Eso sí que no! ¡Tan pronto como vea que Rosita puso un huevo, lo aviento a la basura!

ↄ ↄ

BAJAS TEMPERATURAS

Está haciendo un frío horroroso. Un sujeto se sorprende al encontrar en la calle a un tipo con la cabeza completamente rapada:

-Pero, ¿qué le ha pasado, amigo mío?

-Es que está haciendo un frío. . . que pela.

ಲ ಲ

OTRA VEZ EL CATECISMO

La instructora de catecismo pregunta a Pepito:

-¿Por qué Adán mordió la manzana?

-Porque no tenía cuchillo para partirla.

ಲ ಲ

INDISCRETO

Pepito se dirige a su salón de clases, pero en el corredor escucha ruidos que atraen su atención. Dejándose vencer por la curiosidad, se asoma por el ojo de la cerradura de un salón que está cerrado:

-¡Oh! ¡Qué ven mis ojos! ¡El maestro se está robando los gises! ¡Los echa en su maletín! ¡Eso es un robo! ¿Cómo puede haber gente tan indiscreta?

ಲ ಲ

HONRADEZ A TODA PRUEBA

Una sirvienta llega a solicitar trabajo a una casa. La señora le pide referencias, por lo que la doméstica le muestra úna carta de recomendación, de su última patrona.

"Por este medio, certifico que la señorita María Pérez es una mujer de honradez extrema. tanto es así que en diez años que trabajó al servicio de esta casa, no tomó nunca nada. . . ni siquiera un baño.

ß ß

GENIO MUSICAL

El profesor de violín está extrañadísimo de haber perdido a su peor discípula. Temiendo que le hubiera ocurrido algo, va a buscarla a su casa. La portera del edificio, le informa:

-¿La señora Delia? ¿Era alumna suya?

-Sí, aunque no tenía grandes aptitudes para la música.

-Pues yo creo que no hablamos de la misma persona. He oído decir que se fue becada a los Estados Unidos, para continuar ahí con sus estudios.

-¡Qué beca, ni qué mis narices!- interviene una vecina, que ha escuchado por accidente toda la conversación-. Entre todos los vecinos del edificio, pagamos sus estudios en el extranjero.

PALIZA

Pepito llega llorando a su casa, todo golpeado. La mamá pregunta:

-¿Qué te ha pasado?

-Es que camino a casa me enconté con un viejo enemigo y. . .

-¡Ya sé! ¡Te encaró!
-¡Al contrario, mamita! ¡Me descaró!

ଧ ଧ

EXAMEN DE LINGÜÍSTICA

-A ver, Pepito, ¿por qué se dice "lengua materna" y no "lengua paterna"?

-Porque es mi mamá la que siempre habla.

ଧ ଧ

CORTESÍA

-Pásame el cuchillo.

-¿Por qué?

-Por favor.

-Por favor, ¿qué?

-Por favor, amiguito mío.

-Así está mejor, pero no te paso nada, no sea que te vayas a cortar.

ʡ ʡ

OTRA VEZ, PEPITO

Yo no sé por qué la maestra de Pepito insiste en regañarlo, de todos modos nunca entiende. Esta ves, le preguntó:

-¿No te da vergüenza ser el último de la clase?

-No maestra, alguien tiene que sacrificarse.

ʡ ʡ

¡MUY CIERTO!

Un borrachito escucha los regaños de un agente de tránsito, quien está a punto de levantarle una infracción por conducir en estado de ebriedad:

-¡Debería prohibirse el alcohol, por el número de vidas que arruinan año con año.

El borrachito protesta:

-En ese caso, ¡hic! deberían de prohibir el uso de gasolina. . . ¡a poco no son los coches los que chocan?

ß ß

EN CLASE DE ESPAÑOL

-A ver Pepito, ¿qué tiempo es "dialogar"?
-Tiempo perdido, maestra.

-¡No, Pepito! Te daré una última oportunidad. ¿Qué tiempo es "yo robo"?

-¡Tiempo de correr!

ß ß

LECTURAS IMPROPIAS

En la celda de un convento, la madre Felipita lee un libro, cuando repentinamente entra la Madre Superiora. Sobresaltada, la monjita trata de esconder el libro que lee, pero es demasiado tarde.

-¡Aja! ¡La sorprendí en una infracción! ¿Qué estaba leyendo, hermana?

Tímidamente, la monjita contesta:

-Una novela policiaca, plagada de crimenes sangrientos y horrendas intrigas.

-¡Pero qué falta de vergüenza! ¡Préstemela!

ȣ ȣ

LA CONCHA VORAZ

En una guardería a la hora del desayuno, una niñita mete su concha de chocolate en su café con leche. Como es de suponerse, el nivel del líquido en la taza, bajo un poco, por lo que la niña reclama.

-¡Venga pronto, maestra! ¡La concha se está bebiendo mi café con leche.

ȣ ȣ

UNA HISTORIA BERVE

-Mamá. ¿Puedo contarte una historia muy corta, pero que te interesará muchísimo?

-A ver, Pepito. Cuéntamela.

-Había una vez una figura de porcelana china y la acabo de romprer.

ȣ ȣ

PARECIDO

Una amiga de la mamá de Pepito, observa detenidamente a éste y le dice:

-Tienes los ojos de tu madre.

Pero Pepito, indignadísimo, protesta:

-Eso no es verdad. Es cierto que mis padres atraviesan por una situación económica difícil, pero no hemos llegado al extremo de tener que prestarnos los órganos.

ৼ ৼ

FUTURO VETERINARIO

Rosita consulta a Pepito sobre un problema que le aflige mucho:

-Mi perrito está enfermo, ¿qué crees que puedo hacer para que su mal se cure para siempre?

Fácil, dale a tomar medio litro de gasolina.

Al día siguiente, vuelve Rosita a ver a Pepito:

-Hice lo que me digiste ayer y mi perrito se murió- se quejó ella, entre lágrimas.

-El mío también- aseguró Pepito-, pero su mal se curó para siempre.

SORDO

Un sordo estaba apunto de apoyarse sobre la barda, recién pintada, de la casa de Pepito. Al ver lo que el tipo está a punto de hacer, grita:

-¡Alejese! ¿Qué no ve que acaban de pintar la cerca?

El hombre, que no ha entendido ni media palabra de lo que dijo el niño, pregunta:

-¿Cómo?

-¡De blanco!

ɞ ɞ

MENTIROSILLA

-Mamá, ¿te acuerdas de esas ciruelas que me dijiste que no me comiera, porque podrían hecerme daño?

-Claro que me acuerdo. ¿Por qué?

-Porque ayer me las comí, ¡y mírame! ¡Estoy como una fresca lechuga!

ɞ ɞ

JACTANCIOSOS

Dos niños gallegos presumen de las hazañas de sus respectivos padres:

-Mi papá es más fuerte que el tuyo. Es capaz de levantar 140 kilos de madera.

-El mío es mil veces más fuerte que el tuyo. ¡El también levanta 140 kilõs, pero de acero!

ଧ ଧ

CASTIGO EJEMPLAR

El célebre Pepito llora desconsoladamente, la maestra le pregunta:

-¿Por qué lloras, Pepito?

-Porque mi papá me pegó con su raqueta de tenis para darme una lección y que no volviera a tomarla sin su permiso.

-¡Bueno! ¡Después de todo, no te fue tan mal!- comenta la profesora-.

¡Imagínate cómo te hubiera ido si tu papá jugara beisbol!.

ଧ ଧ

¡CUANTA DESGRACIA!

Un vendedor llama a la puerta de una casa. Una linda niñita abre la puerta.

-Disculpa niñita, ¡se encuentra en casa tu papá?

-No, señor. Mi papá está en el cementerio.

-¿Pobrecita! ¿Y tu mamá?
-Está en el hospital.

-¡Dios santo! ¡Cuánta desgracia! ¡Pobre nena! ¡No tiene padre y su madre está enferma!

-¡No me entendió! Mi papá es sepulturero y mi mamá, enfermera.

ఒ ఒ

CASTIGADO

-¡Y como sigas portandote mal, te encierro en el gallinero, Rosita!

-¡Hazlo!- contestó desafiante la niña-, pero pese a todo. no pienso poner ni un huevo.

ఒ ఒ

Esta obra, que consta de 1,000
ejemplares más sobrantes par reposición,
se terminó de imprimir el día 31 de marzo
de 1998, en los talleres de Editorial y Distribuidora Leo, S. A. de C. V.

Tipografía: **Javier Muñoz González**
Composición Tipográfica: Time New
Roman No. 11
LasserJet 4 Plus

Estampado y Realce:
Grupo Impresor FZ
Tel.: 660 55 61
Fax: 664 14 54

-Oscar, préstame diez pesos, pero no me dés más que cinco,
así te quedo a deber esos cinco; pero como tú también me debes
cinco, quedamos a mano.

ɬ   ɬ

CASI, CASI

Un niño gallego tiene casi ocho años y aún no sabe escribir, por lo
que sus padres contratan un profesor particular, que se dedique
totalmente a él. Al cabo de dos meses, la mamá del niño gallego
pregunta sobre los progresos del gallegito.

-Ha progresado notablemente, ya casi sabe escribir su
nombre.

-A ver.

Media hora después, el señor muestra un papel a la mamá
del gallegito, donde se lee: "Chumacera".

-¡Pero cómo! ¡Este niño aún no sabe escribir! ¡Se llama
Chucho Mancera"

-Se lo dije, señora, ya casi. . .

ɬ   ɬ

EL NUEVO ENCARGADO DE LA TIENDA

Un gallego solicita empleo en una tienda de abarrotes. El encargado lo instruye sobre la manera en la que debe tratar a los clientes:

-Regla número uno: "el cliente siempre tiene la razón". Nunca discutas con un cliente, porque se marchará y no volverá a poner un pie aquí. La regla número dos, es "cuando no tengamos el producto que el cliente busca, es necesario ofrecerle uno parecido, para que no se marche con las manos vacías. ¿Has entendido?

-Sí, señor.

El encargado de la tienda se va a sus quehaceres y el gallego se queda al frente del negocio. Minutos después, llega una señora pidiendo que le vendan papel de baño, recordando la regla número dos, el dependiente gallego, dice:

-No tenemos papel de baño, señora, pero puedo ofrecerle este papel de lija, suave y terso.

GENIO MATEMÁTICO

Era un hombre que tenía fastidiados a todos sus amigos, pidiéndoles dinero prestado. Como necesitaba un nuevo préstamo. ideó algo para conseguirlo: